憧憬花園

꽃들의 이야기

憧憬花園 동경화원 - 꽃들의 이야기

발 행 | 2023년 12월 19일
저 자 | 오도어
펴낸이 | 한건희
펴낸곳 | 주식회사 부크크
출판사등록 | 2014.07.15.(제2014-16호)
주 소 | 서울특별시 금천구 가산디지털1로 119 SK트윈타워 A동 305호
전 화 | 1670-8316
이메일 | info@bookk.co.kr

ISBN | 979-11-410-6061-9

www.bookk.co.kr
ⓒ 오도어 2023

憧憬花園

동경화원

꽃들의 이야기

시인의 말

안녕하세요, 처음으로 직접 인사해보네요. 시인 오도어입니다. 오도어(odor)로 쓰이는 이유라 하면 odor의 뜻이 '향기'인데 제 시가 향기처럼 다가와 큰 울림을 주고 싶어 지었습니다. 아직 학생이기도 하고, 시험과 수행평가, 미래를 위한 공부, 그리고 이 작품을 준비하려하니 정말 막막했습니다. 그러나 포기하지 말라는 부모님의 응원과 멋진 책이 나왔으면 좋겠다는 제 친구들의 기대, 그리고 제가 이 책을 내게 도와주신 선생님의 도움에 힘입어 무사히 작품을 마칠 수 있었던 것 같습니다. 다른 시집과는 달리 제 시집은 전부 다 꽃 이름으로만 되어있는데 왜냐하면 이 책의 주제가 바로 '화원 속 꽃의 이야기'이기 때문입니다. 처음에는 꽃을 주제로 계획하지 않았습니다. 원래는 올해 1월부터 지금까지 매일매일 썼던 시를 가지고 출간하려 했으나, 책으로 내기에는 쉽게 와 닿지 않는 표현과 서툰 구성으로 출간하기에 부적절하다고 생각해 아예 시를 새로써서 출판하기로 했습니다. 고심 끝에 저는 누구나 좋아할 만한 '꽃'을 주제로 시를 쓰게 되었고 사계절 각기 다른 꽃들의 이야기를 담고자 '동경 화원'이라는 시집을 내게 되었습니다. 누구나 공감할 만한, 누구나 읽을 수 있을 만한 시를 만들고 싶어 노력하였고 주변의 도움 덕분에 멋진 시가 완성되어 여러분들에게 찾아왔다는 생각이 듭니다. 아직 부족하지만 예쁘게 봐주세요, 새싹 시인 오도어였습니다.

2023년 12월 05일 오도어 씀.

목차

격려의 글

春 ; 봄의 이야기

01. 개나리

02. 나도바람꽃

03. 다닥냉이

04. 달래

05. 모란

06. 목련

07. 민들레

08. 벚나무

09. 백선

10. 산철쭉

11. 삼지구엽초

12. 수선화

13. 양지꽃

14. 유채

15. 은난초

16. 자운영

17. 찔레꽃

18. 튤립

19. 팬지

20. 히아신스

夏 ; 여름의 이야기

01. 글록시니아

02. 금낭화

03. 꽃고비

04. 나팔꽃

05. 노루발

06. 담쟁이덩굴

07. 만병초

08. 메꽃

09. 무궁화

10. 수레국화

11. 싱아

12. 이질풀

13. 여우팥

14. 인동덩굴

15. 자주괭이밥

16. 장미

17. 카네이션

18. 플록스

19. 해란초

20. 해바라기

秋 ; 가을의 이야기

01. 강활

02. 구절초

03. 국화

04. 꽃향유

05. 눈괴불주머니

06. 독활

07. 땅귀개

08. 바디나물

09. 방울꽃

10. 사철란

11. 산비장이

12. 산씀바귀

13. 쇠서나물

14. 솔체꽃

15. 오이풀

16. 울릉국화

17. 조밥나물

18. 참싸리

19. 코스모스

20. 투구꽃

冬 ; 겨울의 이야기

01. 개쑥갓

02. 게발선인장

03. 군자란

04. 그리그포드 수선화

05. 납매

06. 동백나무

07. 덴드로비움

08. 베고니아

09. 산수유

10. 새우풀

11. 세인트폴리아

12. 시네라리아

13. 시클라멘

14. 온시디움 플랙스오숨

15. 칼랑코에

16. 크리스마스로즈

17. 티보치나

18. 팔레놉시스

19. 포인세티아

20. 프리지아

부록

01. 꽃을 가꾸는 일

02. 개화

03. 憧憬花園 (동경화원)

격
려
의

글

격려하는 글

살아 있는 작은 것들 중에 꽃처럼 사람의 마음을
움직이는 것이 있을까? 계절의 변화를 온몸으로
보여주는 꽃들을 보며 늘 감동을 받는다.
하지만 이내 미안해졌다. 그네들의 이름조차 정확히
불러주지 못하는 나의 무지 때문에. 그런데 오도어의
시를 읽으며 이제는 조금 덜 미안해질 것 같다.
꽃 이름과 어울리는 시인의 마음이 담긴 시를 읽는
내내 마음이 아름답게 채워진다. 시집을 읽으며
모두에게 아름다움이 피어나기를 바라며 이 시집을
추천하는 바이다.

대전 외삼중학교 3학년 국어 교사
김주연 선생님

春

봄 의 이 야 기

개나리

떠나지 말아요, 그대
야속하게 가버린 등

그 뒤로 그리워하는
비참해진 주인공, 나

다시 만날 것이라는
희망을 고이 품어서

이미 떠난 그대 향해
내 마음 슝- 날려 본다

나도바람꽃

햇빛이 버겁다면
내 곁으로 앉아요

산들산들 바람 불어오는
적막한 숲속의 너와 나

가끔은 쉬어도 돼
내 옆에 앉아

다닥냉이

처음 만난 순간부터
공처럼 데굴데굴

임 향한 내 마음
쉴 새 없이 달려든다

포기를 모르는 공, 멈추지 못하고
모든 것을 걸고 너에게 가는 중

달래

다른 꽃에 비해 작아도
무시하지 말아요

몸은 작지만
마음만큼은 100만 제곱미터

모란

날마다 행복한 요즘
당신과 손잡고 햇빛을 바라보며

앞으로의 미래를 그려나간다

목련

목련과 같은 그대
다가가기 선뜻 어려워도

하루하루 지내다 보면
흐트러진 당신 모습도

어쩜 귀여운지

민들레

그 자리 그대로
영원히 남아줬으면 좋겠어요

설령 우리가 홀씨가 되어
저 멀리 흩어진다 해도

당신과 함께 하늘을 난다면
세상을 가진 기분일 거예요

벚나무

벚나무에 핀 벚꽃은
사랑을 피운다 했던가

어쩌나 올해는
사랑 한 번 피우지 못했네

저버린 벚꽃 한 움큼 쥐어서
내 사랑 어딨나, 하고 외쳐봐도

돌아오는 대답은 없고
그저 헛된 외침일 뿐

백선

예쁜 거 들고 다니라니까
아픈 몸 들고 다니래

행복한 하루만 보내라더니
정작 행복한 하루가 없네

그러게 누가 끙끙 앓으래
또 걱정되잖아

산철쭉

너랑 함께하는 시간이
내겐 무척 선물이다

너랑 지내는 이 공간이
내겐 달콤한 꿈이다

매 순간 일분일초
너와 함께 있고 싶다

삼지구엽초

너는 차를 좋아했지만
어떤 차를 좋아하는지 모른다

너는 꽃을 좋아했지만
어떤 꽃을 좋아하는지 모른다

너는 동물을 사랑하지만
어떤 동물을 더 좋아하는지 모른다

알다가도
모르는 너

수선화

언제부터였을까
당신이 눈에 띈 것이

봄의 햇살을 잔뜩 머금고
겨울의 희망을 품어 피어난 너

그 모습이 신비로워 계속 보기만 하고
다가갈 수 없어 말도 못 꺼냈다

양지꽃

뭘 해도 예쁘다
너니까 예쁜 것이다

유채

계속 보고만 있어도 웃음이 나온다
매 순간 쾌활한 그대

당신 덕분에
매번 웃을 수 있습니다

옹기종기 둘러앉아
당신의 이야기를 들을 때면

당신 덕분에
매일매일 힘이 납니다

은난초

이슬 한 방울 떨어진 것 같은
가녀린 얼굴 약한 몸

금방이라도 날아갈까
널 붙잡아도

쉽게 사그라질까
붙잡지 못한다

아직도 서투른 나는
너라는 희망을 꿈꾼다

자운영

너니까
중요한 거다

너니까
챙기는 거다

너라서
신경 쓰인다

찔레꽃

우연은 지나가고
필연은 다가온다

시간은 지나가고
사람은 달라진다

너와의 관계는 달라지고
우리의 사이는 멀어졌다

튤립

한 송이만으론
모자란 내 마음을

너는 알까

팬지

난 매일매일
24시간마다

너만 생각하는데
너는 나 안 생각해?

히아신스

언젠가 주고 싶었다
작은 네 손에 쥐어질

다채롭고 향긋할
꽃의 축제를

고이 간직하는 네 모습 보면
네 손에 세상을 쥐여주고 싶다

夏

여 름 의 이 야 기

글록시니아

나를 좀 더 봐줘
오랫동안 끌어안고

그간의 추억을 되새기며
우리만의 여행을 떠나

달리 특별한 이유는 없어
단지 오르골 소리와 함께

너와 함께하고 싶었어
바로 이 순간에

금낭화

꽃길 따라 걸어간 곳은
항상 네가 기다리고 있다

숲길 따라 들어간 곳에도
항상 너와 마주하곤 했다

우연일까 필연일까
계속 너를 피해 봐도

내 발걸음은 항상
널 쫓아가고 있다

꽃고비

내 마음 한 켠
텅 비어있어

왜 그런가
곰곰이 생각해보니

아뿔싸!
네가 없구나

나팔꽃

따스한 햇볕
더위를 싫어하던 나였지만

즐거워하는 널 보면
더위도 가시는 것 같다

너와 함께면 싫은 것도 좋아지는 것
이만큼 기쁜 소식이 없을까

노루발

밟지 마세요! 라 해도
가뿐히 즈려밟고 가는 사람들 속

너만이 날 보고
손을 내밀어 날 일으켜 세워준다

밟지 마세요! 라 외쳐도
무시하고 가는 사람들 속

너만이 나의
유일한 구원자다

담쟁이덩굴

꼬옥- 하고 엉켜있는 것이
우리 같지 않아?

매일 매일 팔짱을 끼고 다니며
절대 놓칠 수 없다는 듯

누가 보면 한 사람인 줄 알아도
가까이서 보면 서로를 안고 있는 모습이

절대 끊어질 수 없다는 듯 엉켜있는
저 덩굴, 우리 같지 않아?

만병초

멀리서 보았을 때는
작고 힘이 없을 줄 알았건만

가까이서 보았을 때는
무너지지 않는 게 제법이다

뭐든지 가까이서 보아야 한다
그래야 매력적인 네가 보인다

메꽃

뭐가 그리 좋아서
메꽃을 보면 좋아하는지

가만 보면
너랑 닮은 듯 아닌 듯

아 어쩌면 활짝 핀 꽃이
네 웃는 모습과 닮은 것 같기도

무궁화

온종일 네 생각 뿐이야
해가 이리저리 움직여도

하루하루 너만 보여
사람들 바삐 거닐어도

항상 너밖에 없어
내 세상은 온통 너 뿐이야

수레국화

화려하지 않아도
조금은 못나도

누군가가 자칫 밟아도
땅이 말라가도

뭐 어쩌겠어
행복하기만 하면 돼

싱아

등 뒤만 봐도 알 수 있다
그만큼 특별해진 당신

목소리만 들어도 알 수 있다
그만큼 기억나는 당신

이제는 당신이 누군지도 안다
그만큼 각별해진 우리 사이

이질풀

존재만으로
큰 힘이다

옆에만 있어도
없던 힘이 난다

넌 내 삶의 원동력이자
날 이끄는 중력

여우팥

저녁 여섯 시, 네가 없어
하염없이 시간을 보내고

저녁 일곱 시, 네가 그리워
아무것도 눈에 안 들어오고

저녁 열 시가 넘어서야
반갑던 네가 찾아왔다

사무치게 그리웠던 오늘
피곤했을 너를 위해

말없이
네 곁에만 있고 싶다

인동덩굴

사랑해요
보고 한 움큼씩 쥐어

사랑을 피우고
우정을 나눈다

아직 모든 게 서툴 우리에게
너는 나만의 덩굴이다

자주꽹이밥

이렇게 예쁜 네가
어찌 꽃이 아닐 수가 있는가

이렇게 고운 네가
어찌 미인이 아닐 수가 있는가

이렇게 착한 네가
어찌 사랑이 아닐 수가 있는가

이렇게 모든 면에서 완벽한 네가
어찌 천사가 아닌가

장미

처음으로 받아보는
네가 준 장미 한 송이

아무렴 돈다발 보다
네 장미 한 송이가 더 좋다

아무렴 명예 보다
네 장미 한 송이가 더 좋다

너라면 모든 것이
전부 다 좋다

카네이션

울퉁불퉁 접은
못생긴 카네이션

들판에 핀
어여쁜 꽃보다

네가 만든
엉성한 꽃이

백배 천배
더 아름답다

플록스

포기하지 말아라!
이 또한 과거의 추억이다

애쓰지 말아라!
이 또한 하나의 경험이다

끝까지 나아가라!
이 또한 찰나의 순간이다

지지 않는 열정 끈기 있는 의지
이것이 청춘의 기쁨이다

해란초

푸르른 강줄기
따스한 햇볕 아래

손을 잡고
영원을 약속해

따스한 바람
불어올 때면

손을 놓지 않고
평생을 약속해

해바라기

해바라기는
해만 바라본다는데

정작 나는
너만 바라보는 중

秋

가을의 이야기

강활

시간은 항상 빠르다
난 아직 어린 아인데

어느새 훌쩍 커서
여러 우연을 만나고

인연이고 싶었던 너와
금방 헤어진다는 게

시간은 항상 빠르고
시간은 항상 밉다

구절초

따스한 손길로
날 어루만지면

언제 그랬냐는 듯
두려움은 가시고

고요한 숨소리 만이
날 찾아온다

꽃향유

맑아진 공기
예쁜 구름 하늘

숨을 들이마시면
화사한 가을 냄새

드디어 찾아온
풍요로운 가을의 계절

노란 국화

남 몰래 좋아해
너 몰래 준비한 노란 국화

혹여나 싫어할까
두근두근 설레는 맘으로

너의 마음을
기다리는 중

눈괴불주머니

살면서 꼭 하나 쯤은
보물주머니가 있다

절대 알려질 쑤 없는
나만 알고싶은 비밀이

하지만 네 앞에서는
솔직한 내가 되고싶다

독활

네가 없는 일상은
살아가기 힘든 날이다

네가 없는 하루는
그 의미가 없다

이젠 네가 나의
큰 울림이 되었다

땅귀개

모든 게 변해도
절대 변하지 않는 게 있다

사랑은 변해도
마음은 변하지 않는다

시간은 변해도
마음은 변하지 않는다

바다나물

빼꼼 보인
조그만 풀 하나

조그만 몸집으로
굳건히 살아가는 게

너와 닮았다

방울꽃

찰나의 순간에
잠깐 손이 닿다 말아도

그것도 하나의 추억이니
얽매여서는 안 된다

스치는 바람에
휙 넘어가지 말자

사철란

울창한 숲속에서도
나름 귀여운 것이 있다

빽빽한 나무로 가득 차 있어도
꽤 귀여운 것이 있다

작은 일 하나하나 열심히 하는
숲속의 작은 요정, 너

산비장이

지나가고 남은 발자국은
금방 지우기 어렵다

그 발자국 하나하나에
모든 순간 감정들이 담겨있으니

산씀바귀

가끔은 어린아이처럼
아무것도 모르고 싶다

순진하고 순박한
그 때의 감정 그대로

아무 것도 몰라서
너도 모르고 싶다

쇠서나물

항상 일이 잘못되더라도
웃음을 잃지 말자

혹여 안 좋은 상황이 벌어져도
희망을 잃지 말자

그래 그렇게 쭉
잊혀왔던 감정을 상기시키자

솔체꽃

너와 나는 지구와 태양이라 했던가
만날 수 없어도 만나질 못해

근일점에 다다라도
보기만 할 뿐 만날 수 없었다

우리는 그렇게 서로의
먼 추억이 되어간다

오이풀

아름다운 얼굴
빛나는 눈

오똑한 코
뚜렷한 이목구비

단지 예쁘다고
모든 것을 맡기진 말자

예쁜 꽃에도
독은 피어있다

울릉국화

고생하지 말자면서
온갖 고생은 다 하고

그렇게 안 힘들었다면서
매번 한숨을 쉬고

그렇게 말 안 해도
나는 다 알아요

이제는 나에게
솔직하게 말해줘

조밥나물

눈치가 빠르기는
어떻게 내 마음 알면서

이랬다저랬다
되지도 않는 밀당을 하는지

참싸리

정말 좋다
위험할 때 가장 먼저 오는 네가

정말 좋다
항상 내 안위를 살펴주는 네가

정말 좋다
매번 아플 때마다 걱정해주는 네가

코스모스

바람을 느끼며
밖을 바라보면

소란스러운 창밖 풍경
그사이 보이는 너의 모습

내 인생의 낙이다
바람과 함께 너를 바라보는 것

바라보면서
마음을 싹트는 것

투구꽃

밤이 되면 열리는
너와 나만의 모임

너를 만날 수 있는
하나뿐인 그 순간

오직 밤뿐인지라
내 하루는 밤이 시작이다

冬

겨 울 의 이 야 기

개쑥갓

무엇보다 더
설레는 사랑은 없다

혹 설레어도
우리만큼은 아니다

수많은 시선 피해
그늘진 나무 아래서

몰래 잡담을 나누는
우리의 만남

게발선인장

겨울이 추워도
춥지는 않다

사계절 내내 피어있는
우리의 웃음꽃 때문에

바깥이 차도
차지는 않다

매일매일 번성하는
우리의 사랑 때문에

군자란

돌고 도는 계절 끝에
찾아온 마지막 계절, 겨울

한 해를 돌아보며
이땐 이랬지

후회도 되고
행복하기도 했던

다소 괜찮았던
올해의 나를 돌아보며

그라그포드 수선화

꼭 거울을 보더라도
무너지지는 말자

혹 뒤처진다고 느껴도
좌절하지는 말자

언젠가 지나가겠노라 느껴도
멈춰 서지는 말자

언제나 늘 그렇듯
항상 사랑하자

납매

애정은 거울이다
혼자서 받는 게 아니다

혹여 받았더라도
다시 줘야지 또 돌아온다

애정은 거울같이
똑같이 돌아온다

독차지하고 싶다고
허튼짓은 하지 말자

동백나무

쌀쌀한 날씨
오들오들 추워도

나보다
네가 더 걱정된다

비바람이 내리치면
집에는 잘 들어갔는지

비 맞고 걸어가는 나보다
네가 더 걱정된다

덴드로비움

파도처럼 밀려오는
너의 웃음이

차가운 바다여도
뛰어들고 싶게 만든다

바닷속에서 혹여
잘못되더라도

네 미소 하나면
지극히 충분하다

베고니아

친절의 힘은
칼보다 강하다

정중의 힘은
펜보다 강하다

뭐든 호의적이어야
가장 아름답다

산수유

너의 손에
산수유 열매 쥐어

평생을 함께하자고
맹세할 거야

눈보라 치는 겨울
동백나무 아래 서서

너와 함께
끝을 맺을 거야

새우풀

산책하면서 마주한
새우풀 꽃밭

아름다운 자태에 반해
사진을 찍던 중

그 사이의 널 마주한 건
우연일까 필연일까

세인트폴리아

꽃이 필 때 만나
꽃이 질 때 헤어진 우리

평생을 함께할 줄 알았는데
저마다의 길이 있었다

그래 지금은 멀어지더라도
언젠간 다시 만날 수 있겠지

2023/08/13 13:29:12

시네라리아

손이 시려워도
매번 즐거운 마음으로

세상이 차가워도
매번 긍정적인 생각으로

그래 겨울의 꽃들처럼
강인하고 굳건하게

시클라멘

색종이는 앞면은 색이 있지만
뒷면은 새하얀 종이이다

사람도 색종이와 똑같은걸까
화려할 것만 같았던 너마저도

사실은 그렇지 않다는 게

온시디움 플랙스오숨

사랑해!
백번 천번 외쳐봐도

마음에 안 드는 걸까?
아니면 내가 싫은 걸까?

좋아해!
라고 외치면

등 돌린 네가
다시 날 봐줄까?

칼랑코에

나 어릴 적 키운
어린 칼랑코에가

나와 같이 성장하고
피고 지는 걸 반복하더니

이제는 어느새
그만 저버렸을 때

다시 돌아와 주기를 바랬다
더 잘해주겠노라 다짐하며

크리스마스로즈

꿈이라는 숲속은
뭐든지 이루기 쉽다

꿈이라는 숲속은
무엇이든 되기 쉽다

하지만 꿈을 꾼다고 해서
정말로 내 염원이 이뤄질까

티보치나

깊은 사명감으로
깨달음을 주려는 당신이

남긴 가르침을 받아
이렇게 시를 쓰게 되었습니다

이젠 그 감사함을
다른 이에게 주고자 합니다

항상 거룩히 빛나주세요
당신은 지상의 별입니다

팔레놉시스

나는 나비가 되어
이 세상을 돌아다닐 것이다

나는 나비가 되어
네 마음속에 안착해

그동안 무슨 생각을 했나
들여다볼 것이다

나비가 되어
떠나갈 것이다

포인세티아

무슨 걱정이야
고통 뒤엔 행복이 온다잖아

아무 걱정하지 마
그 누구도 행복을 뺏어가지 않아

그래도 걱정이 된다면
네 걱정 마저 내가 가져갈 거야

수많은 별이 널 위해
앞을 빛내줄 거야

프리지아

사랑하는 그대에게
꽃집에 들러

고민하다 겨우 고른
프리지아 한 송이

그대를 닮아
아름답게 피었다

부

록

꽃을 가꾸는 일

꽃을 가꾸는 일은
제법 힘이 든다

저마다의 이야기가
제시간에 피고 지니까

그럼에도 불구하고
내가 꽃들을 돌보는 것은

그 꽃들의 이야기가
우리와 닮았기 때문이다

개화

꽃들이 개화하는 이유는
그만큼의 고난과 역경을 거쳐

성공하였기 때문이다
꿈을 이뤘기 때문이다

스스로를 믿었기 때문이다
강한 의지가 있었기 때문이다

우리 또한 그렇다
고난과 역경을 거쳐

나아갈 수 있을 것이다
희망을 볼 수 있을 것이다

憧憬花園 (동경화원)

서로 다른 꽃들이 모여
자기들의 이야기를 피워내는 곳

서로 다른 우리가 모여
그들의 이야기를 듣고

무엇이 그리워져
마음이 팔린 채 생각에 빠지는

이곳은 우리들의
동경(憧憬) 화원이다